LA COURSE DES TUQUES

Album inspiré du film
La course des tuques
Textes de Nicholas Aumais

VER-O-LIVRE

ēdito
jeunezze

C'est le retour des vacances d'hiver au village.

La bande des Tuques est prête à s'amuser !

Les vacances leur réservent quelques surprises...

Pierre sort de chez lui, bien **excité** de retrouver ses **amis**.
En laissant tomber son sac à dos sur sa luge, il regarde la niche vide de sa chienne Cléo, morte l'hiver précédent.

Pierre a entendu le son familier du clairon de Luc.
Il court rejoindre joyeusement ses amis à la grange,
leur précieux repaire.

Et toi Lucie, as-tu vu François les Lunettes ?

Ouais, il est dans sa pièce secrète, comme toujours !

Pierre ouvre la trappe et jette un œil dans la cachette de François.

Vas-tu passer toute la nuit là-dedans ?

Ma luge est presque parfaite!

HÉHÉHÉ! Zac le nouveau ne sait pas à qui il a affaire!

- Tu sais François, t'as pas besoin de battre le nouveau à la luge, dit Pierre.
- C'est **lui** qui m'a lancé un **défi** !
- Bon, on se revoit demain matin, le génie.

À l'autre bout du village,
Zac vit chez sa grand-mère.
Ses parents l'ont quasiment
abandonné parce qu'ils
travaillent trop et trop loin.
**Dans sa chambre, il se
prépare lui aussi pour
la course qu'il compte
bien remporter.**

Mon plan est
génial. Ce sera
la fin pour les
Lunettes!

Dans la grange, tout le monde dort à poings fermés. Personne n'entend les jappements d'un chien.

Prrrrrrrrrrrout !! Jacques pète et réveille Chabot et Maranda.

- **Ouache ! Ça pue !** Qu'est-ce que t'as mangé ? demande Maranda, dégoûté.

Ils rient en se bouchant le nez.

Au lever du soleil, Luc réveille la troupe au son de son clairon.

C'est le grand jour de la course.

Le journaliste en herbe, Daniel Blanchette de Victoriaville, est prêt à immortaliser l'événement avec son appareil photo qu'il traîne partout où il va.

Dépêchez-vous la gang ! On va montrer au nouveau c'est qui le meilleur.
L'important, c'est de s'amuser.
Luc, tu sais ce qui est encore mieux ? Gagner !

Alors que tous les autres sont partis, Pierre reste dans la grange, convaincu qu'il a entendu un bruit. Il trouve sous une botte de foin un adorable petit chiot. Dès qu'ils se regardent, c'est l'amour fou entre les deux.

Les concurrents se rassemblent sur la ligne de départ. Avant que François dévoile sa super luge, Maranda et l'un des Leroux se lancent sur la piste.

Et c'est parti!

Alors que Sophie se prépare à piloter la luge de François, Zac arrive sur les lieux. Confiant, il inspecte la piste de course et ne semble pas du tout impressionné.

Amateur-ville

C'est lui le nouveau ? Je l'aime pas...
T'en fais pas, c'est juste un « grand parleur ».

Pendant que Chabot fait les dernières mises au point sur la super luge de François, Charlie, la cousine de Zac, arrive. Elle a l'air si gentille, et elle est tellement jolie!

Mais la gentillesse de Charlie n'est qu'une diversion!

Zac et François installent leur
luge sur la ligne de départ.
Les pilotes Sophie et Charlie
se glissent à l'intérieur.

Le signal du départ va bientôt être donné !

La course a très bien débuté, mais tout à coup, Sophie **perd le contrôle de la luge.** Le guidon ne fonctionne plus ! François est stupéfait ! Zac sourit, l'air satisfait. Le guidon se brise complètement et Sophie fait une chute spectaculaire.

Meilleure chance la prochaine fois, les Lunettes.

François est déçu et malheureux, il voulait tant gagner. Pierre l'aide à rapporter ce qu'il reste de sa luge à la grange. Le chiot le suit toujours.

François sait **très bien** que sa luge était **très solide**. Assez solide même pour résister à une entrée dans l'atmosphère! Il refait tous ses calculs et inspecte son bolide. Étrange. Le boulon de direction n'est plus là. À la place, il découvre une miette de canne de bonbon... Il sait qui a saboté sa luge! François se rend chez Zac pour le démasquer. Une fois dans sa chambre, il trouve la **preuve indéniable** qui lui manquait... le boulon de direction de sa luge!

Zac trouve François dans sa chambre.
Alors les Lunettes, tu m'espionnes ?
Tu as triché et j'en ai la preuve. Je veux ma revanche. J'exige une autre course !
Parfait, alors si je gagne, la grange est à moi. Tu veux la guerre ? Et bien tu l'auras !

Euh... la grange... elle est à tout le monde.
Donc pas de course.
Marché conclu, alors ! Tu vas perdre, de toute manière. Et d'abord, c'est pas la guerre qu'on veut, c'est une course !

François raconte à Pierre qu'il est entré dans la chambre de Zac. Voilà justement que celui-ci arrive.

Te voilà, chien stupide!

Oh non! Le chiot lui appartient. Quel malheur!

Pierre voit bien que Zac n'y comprend rien aux chiens. Un peu plus tard, pensant bien agir, il va chez Zac pour lui donner des conseils pour mieux s'occuper du chiot. Mais Zac n'est pas intéressé. Il lui parle plutôt de l'enjeu de la prochaine course.

Mais les Lunettes ne vous a rien dit de notre marché? Quand il perdra la course, la grange sera à moi. Et vous, vous serez dehors.

Pierre se précipite à la grange pour confronter François, devant tous les amis, à propos de **l'horrible entente** qu'il vient de conclure avec Zac.

Comment t'as pu faire ça ? T'as pas le droit de donner la grange !

Mais je vais gagner la course ! Puis là, ça n'aura plus d'importance. Vous allez voir !

Furieux et blessés, ils s'en vont, abandonnant François.

Pierre est **déçu**, François les a trahis.

Combien de temps vas-tu rester fâché contre lui ? C'est pas toi qui dis tout le temps que les amis doivent toujours s'aider les uns les autres ?

Pierre retourne à la grange. François est prêt à tout abandonner.

Tu lâches tout ? C'est pas le François les Lunettes que je connais. Il n'abandonnerait jamais, lui. Oui, tu nous as déçus, mais les vrais amis doivent toujours s'entraider, pas vrai ?

Attends... T'es encore mon ami ?

Mais oui, nono !

François sait maintenant qu'il peut compter sur ses amis.
Il retourne chez Zac.

Je propose que la course se fasse entre toi et moi, si tu es assez brave!

J'accepte. Mais à une condition: pas de règlement! Tout est permis.

D'accord!
La caboche bat toujours les tout croches!

Je m'excuse d'avoir mis en doute tes talents de pilote, Sophie. Tu me pardonnes ?

Ben oui, les Lunettes. On va l'écraser, ce tricheur !

Plus motivé que jamais, François se précipite dans sa cachette pour élaborer les plans de l'ultime course.

Après un travail de groupe incroyable : la boucle infernale est terminée !

En écoutant le chant des oiseaux avec l'appareil que Maranda lui a prêté, France capte une conversation provenant de chez Zac.

Il faut que je gagne cette course coûte que coûte.

Tu es tellement tricheur !

Ne fais pas l'innocente. Tu m'as aidé, tes mains sont aussi sales que les miennes.

Pierre a réuni tous les amis dans la grange.

On a un pilote sans expérience qui fait la course avec un gars qui est prêt à tout pour gagner. Il faut qu'on se batte tous ensemble pour sauver la grange.

Les cris de joie font vibrer les vieux murs de la grange. La bande est plus solidaire que jamais!

C'est alors que France rapporte à Chabot la conversation qu'elle a
entendue entre Zac et sa cousine.
- Chabot... Charlie nous espionnait. Zac l'a même remerciée de l'avoir aidé à tricher.
Mais Chabot ne la croit pas.
- Charlie ne tricherait pas, dit-il, elle est trop gentille.

C'est le grand jour!

Les luges sont avancées jusqu'à la ligne
de départ. Les deux pilotes s'installent.
Au son du clairon, Luc donne le signal.
La course du siècle commence!

Dès le début de la course, Zac appuie sur un bouton et **des cailloux** tombent sur la piste. Mais François les Lunettes est un vrai génie. Il a pensé à tout! Sa luge est équipée d'une pelle capable de tout ramasser!

Zac n'a pas dit son dernier mot. Une scie installée sous sa luge détruit la boucle juste au moment où François arrive.

Mais comment François va-t-il se sortir de cette épreuve ?

Une paire d'ailes se déploie et sa luge s'envole.

Dans les airs ! Oui !

Qui aurait cru qu'une luge pouvait voler !

Grâce à son ingéniosité, François reprend la course.

Zac n'en croit pas ses yeux.

Arrivé à l'obstacle suivant, Zac appelle sa cousine.

Où es-tu ? Tu devais tourner la manivelle pour me permettre de me hisser au sommet de la montagne !

Mais Charlie a plutôt décidé d'aider l'autre équipe.

Chabot a compris que Charlie venait de changer de camp. Il court à son secours l'aider à hisser François.

Zac propulse sa luge à vive allure pour rattraper François. Côte à côte, les coureurs filent comme des fusées. Les concurrents franchissent la ligne d'arrivée quasiment en même temps. Daniel Blanchette prend une photo et...

François a littéralement gagné par la peau des dents. La grange est **sauvée**!

Charlie va retrouver Chabot à la grange. La gang s'y est réunie pour célébrer leur victoire.

Je m'excuse d'avoir triché.

C'est correct... je veux dire... t'as finalement vu la lumière, pas vrai ?

Trahi, vaincu et abandonné de tous, Zac est seul et triste.

Attends Zac! J'ai pensé qu'on pourrait trouver un endroit dans la grange pour installer ton atelier. J'ai remarqué que tu étais un peu à l'étroit chez ta grand-mère.

Est-ce que tu te moques de moi ? On est des ennemis !
Changeons ça et soyons amis ! On a beaucoup de choses en commun, en fait !

Pierre les rejoint.

Tu crois vraiment que je peux rendre ce chien heureux ?

Je vais te dire un secret. Les chiens ont juste besoin d'amour. Comme nous !

Cet hiver encore, la bande des Tuques
a vécu une tonne d'aventures !

Que peuvent bien leur réserver les prochaines vacances ? Qui sait…

Album inspiré du film *La course des tuques*
produit par CARPEDIEM FILM & TV INC.

Texte adapté par Nicholas Aumais

Basé sur le scénario de Paul Risacher,
Maxime Landry et Claude Landry

Réalisé par Benoit Godbout

Coréalisé par François Brisson et conseillé
à la réalisation par Jean-François Pouliot

Film distribué au Canada par Les Films Séville

Illustrations : LCDT INC.

Conception graphique de l'album :
Marie-Josée Forest

ISBN : 978-2-924720-94-3

Dépôt légal – Bibliothèque et
Archives nationales du Québec, 2018

Dépôt légal – Bibliothèque et
Archives Canada, 2018